La Mort d'André Breton

collection empreintes

dirigée par Jean Yves Collette

le biocreux inc.
c.p. 399, succursale *la Cité*
Montréal, Qué. H2W 2N9

distribution
Les Messageries littéraires des éditeurs réunis
6585, rue Saint-Denis
Montréal Québec H2S 2S1
(514) 279-8476

Jean Yves Collette

La Mort
d'André Breton

le biocreux  empreintes

La conception graphique, les illustrations et la mise en pages de ce livre sont de l'auteur.

Dépôts légaux — 4e trimestre 1980
Bibliothèque nationale du Québec
Bibliothèque nationale du Canada
ISBN 2-89151-012-7

à la mémoire de C.D.

Première partie

Journal : (titre) : «Un document mystérieux expliquerait la mort de l'écrivain Breton». Policiers affirment mais que disent-ils? Document faux fabriqué par l'auteur (du crime) l'écrivain (lui-même) cachant dans la hauteur de la mort les raisons. Document baignant dans le sang et les rasoirs sur la table où le sang pisse. Dont on ne connaît pas la terreur, ni l'endroit de la chute. Breton tenu criminellement responsable de *la* mort! C'est l'écrivain qui souligne. À plusieurs reprises. L'oeil vitreux, la langue sortie. La coupure de presse sous l'oeil vitreux, de Breton, André. Affaire classée? À plusieurs reprises. Le collectionneur tué par sa collection? Images à la une. Images sur la table de travail. La gorge tranchée dans la rue, bientôt classée. Le cou coupé? Affaire classée.

*écrire et ne pas écrire sont devenus
pour moi une seule et même activité.*
Michel Gay

Document trouvé sur la table de l'écrivain. Vivre et cesser de vivre sont des solutions imaginaires entre deux bienfaits. L'existence ailleurs. Puisque entre les deux. La gorge tranchée : la liberté du sang. *La liberté du sang est l'affirmation de la liberté de l'esprit. À la limite dangereuse, elle prouve seule que les jeux ne sont pas faits.* L'essentiel.

Pendant la féerie lumineuse : pendant le songe : pendant la faiblesse : dans la main, la lame, quelques jours plus tard. Cette fois la lumière va jusqu'au bout du tranchant, se reflète. La sécurité : à plusieurs reprises, un flot rouge, immense, dans un gargouillis, inonde la gorge, la bouche et les narines. La force nécessaire pour recommencer. La lame sectionne les jugulaires : tremblements, noirceur et choc. Lâché par la main le manche d'ébène relié à la lame. La conscience, écoeurée par la tempête, ayant pu constater le règlement de cette affaire, s'éloigne.

Ce matin-là, la mer, le soleil et tout. Le bois noir du manche d'ébène lui rappelait la fascination hypnotique. L'imitation de ce même bois recouvrant l'extérieur d'un couteau de poche. Caresser la noirceur avant de l'empoigner. Caresser son sexe, la robe de chambre entrouverte. Noir comme le dur du sexe. Fascinée, déplacée, la main. Sexe empoigné la nuit auparavant. Laisser glisser la lame sur le cou comme si elle se déplaçait d'elle-même, repassant, la mousse et les poils enlevés où ce n'était plus nécessaire. Coupante ainsi qu'un jet posée sur la gorge. L'événement nommé vie. L'autodétermination de la lame — faut-il le préciser? — est pure illusion. *La seule illusion est: le rêve et la réalité englobés dans une réalité absolue: la surréalité.*

La douleur : délire d'une souffrance. Oublier cela aujourd'hui : demain l'atroce philarmonie. Le ciel tombé : partir seul, courtement seul. Laisser la pensée flotter dans l'aquarium. Le sperme, lui, continuera de couler dans les veines. Les conversations (leur curieuse promiscuité) simultanément cesseront de se croiser dans la tête. Le sens noyé dans l'eau grise. Demeureront, seuls, les bruits de coups portés avec toute la bouche et venant d'où l'on forge. Le souvenir sera toujours trop lourd. Ils écriront : ci-gît A.B. voleur et faussaire. 1968-1980.

Après cette coupure au bras. Ne peut pas tous les jours, la musique à tue-tête. Mettre, trancher avec la même main, le bras. Dépenser avec elle l'énergie de la voix. Ne pas crier, c'est laisser la mort revenir. C'est à ce moment-là... Il ne peut s'agiter. Suspendu au-dessus du vide ou détendu — même mou. Pourrait-il être détendu ? Laisser fumer ses os sur les os de la surréalité. S'ironiser. Toute la nuit, histoire de meurtre et de mer qui fracasse. Il espère, pour la parure calcinée de la ville, se dissoudre dans la main. Des huîtres meurent sur les rochers. Le vent et les rêves griffent. La coupure vit encore. Lui aussi, pour peu. Peine à voir les fleurs mauves flotter.

Mettre le bras à plat sur la table. Serrer le poing, l'autre main tenant l'ébène du manche. La lame est posée sur la chair. Elle pèse. La force du bras va-t-elle trancher? Combien de fois faut-il le faire? Combien de fois faut-il jouir, faut-il en jouir avant de n'y avoir plus droit? Quelle noirceur a vraiment le rouge du sang? Contre qui l'équipe a-t-elle gagné la dernière fois? Stop! Répit. La lame n'est pas assez coupante... Se déplacer pour l'aiguiser. De peur. Recommencer. Ne pas y penser. Trancher une fois. Perdre toute force. Tacher son passage de sang. Marquer sa trace. Garotter, panser, tout arrêter, regarder par la fenêtre, au loin, les corneilles s'éloigner.

Le choix qui ne fera pas de déchirure. La lame dangereuse, belle. La plus symbolique. Qui provoquera le plus de soubresauts. Qui l'entendra oublier. Non? N'être même pas acteur. Griffer l'air. La lame se fichera dans la gorge. La noirceur rappelée par la noirceur du manche. Corps ouvert. La lame appelée par la lame. Le corps du personnage dangereux, effervescent.

Assez du silence. Assez de toutes les choses du silence. De chaque battement. Battements réels le jour consistant en fruits de multiples alliances. En rupture sans cesse et sans cesse réunissant. À l'intimité imaginée. Une femme. Quand la douleur est à regarder la main, le corps jeté par la fenêtre. *L'écrivain profond dont les ouvrages donnent envie à l'homme de se dresser.*

Sortir de tout cela si possible. Sortir de tout cela si possible sans un désespoir plus grand... Puisque cela *ne contribue à créer que la réalité que je décris, toujours indéterminée, ouverte seulement sur l'avenir*: comme la pensée systématique est une boîte fermée.

Lui-même dialoguant avec A.B. L'après-midi au bord de la mer. Extraits : Non mais il l'a fait./ Justement, ce n'est pas si traumatisant.../ Il avait le vertige./ Il se répète./ Est-il bien sûr?/ Est-il bien sûr?/ Le changement : les étourdissements. Le changement : les maux de tête./ Cela n'explique pas tout.../ Quand il se coupait en se rasant?/ Oui./ Il exagère./ Exagérer est peu de chose dans les circonstances./ Mais le vertig.../ Non, non, ce n'est pas cela./ Le plaisir du sang?/ C'est après./ Après?/ Pendant./ Une sorte d'orgasme. Un soulagement énorme. Une immensité éclaboussante./ Il se rappelle./ Il n'en peut plus de se souvenir./ Assez./ Assez./ Mais encore.../

Mais encore. Vivre ailleurs. Pris, ligoté par le passé. Ligoté à ces minutes atroces. Vivre ailleurs n'est pas vivre. Vivre avec une plaie salée chaque jour. En silence et dans. En solitude intérieure. Avec soi dans la peur. Peur réelle d'être réellement ce que l'on est. Ailleurs étant à l'intérieur. Ici la consistance d'A.B.

Être victime. Se racheter. Amené à faire le point. Quand le poing frappe le visage, il parle. Être victime à son tour. Acheter peut-être de la vengeance. Mais cette journée-là... bruits de métal dans la chair. L'acteur déjoué de son rôle. La victime A.B. seulement victime d'elle-même. Comme *il écrit pour le plaisir de s'incriminer* n'allant jamais assez loin.

Que savent-ils? L'écrivain déclare que..., A.B. participe remarquablement au colloque sur le roman..., le plaisir de compter parmi eux l'écrivain, le romancier réputé qui leur parlera... (du crime, du meurtre, de l'assassinat, du sang, de l'horreur, de lui...) mais non, non! De l'influence certaine de..., A.B. leur parlera de choses... de jolies choses... de la difficulté d'être écrivain dans une ère de technologie... de la pression: les romantiques allemands influencent l'oeuvre. A.B. ne parle jamais de vérité. N'oserait pas. Mais qui s'en soucie? Comment (pourquoi?) l'écrivain peut-il se déshabiller en public? Quand il ose à peine, dans un miroir, se regarder. Que savent-ils?

Un livre? Quel rien! Si peu outre, le plaisir.
D'avoir fait gicler la vie. D'avoir fait les nécessaires
fissures avec un canif au manche noir. Dix-sept
fois pour que gicle... le sang. Au réveil : milieu du
rêve. Regagner l'ascenseur. L'ascenseur des fan-
tasmes ouverts. *Cette quête du sexe où toute robe
enlevée conduit à une autre robe qu'à nouveau il
faut s'ingénier à ouvrir.*

A.B.: un crime sauvage: accident neurologique: naissance de l'écrivain. Pas si simple. La sueur partout. Le sexe durci. Le senti, le touché, le mouillé. La parole prenait comme de la gélatine. A.B.: compréhension: mépris: tous souhaitent l'expérience. Ah! Tuer, tuer. Ah! Suer sur quelques misérables pages. Rien à redire. Quels doux plaisirs procure la chair. Elle parle à tous. Elle se laisse modeler. Elle vit.

Very serious, yes./ We wish to publish your./ A
success?/ At least 500 000./ Yes, serious./ Well
done yes./ To drop in on us./ Your country is
small./ Very happy./ People are not interested
enough in literature.../ Is it not a pity?/

Il fallait me torturer pour que je ne sache rien de ce qu'elle aurait pu devenir: c'était atroce, c'était doux. Oublier. Il fallait chercher bien fort, toutes attentes dehors. Toutes griffes pénétrant dans la chair propre d'A.B. Toutes images coupées et toute incompressibilité des idées.

Mais c'est nu, le soir ou le matin, indécent à la fenêtre, qu'il songeait : à mettre sa queue dure dans le pare-brise des voitures; à tirer la langue sans dire d'où il la tirait; à caresser on ne sait qui dans l'autobus numéro 97. À frotter, pour leur donner sa vie, des mannequins dans les vitrines : *une sorte d'appel à l'horrible et au merveilleux, au contenu exact, lisible.* C'est nu : hallucination plus ou moins délirante pour aboutir, paysagement automatique, sous un palmier. A.B. veut *qu'on parle quand on cesse de ressentir.*

Il était beau, d'une beauté non pas
angélique, mais archangélique.

Adrienne Monnier

Son front large dont on peut faire la description mais enfin... Le nez droit, comme on dit, si peu épaté; les joues hautaines; cette bouche pas «dégueulasse». Mais rien ne serait de tout cela si n'était aussi vivante la persistance des yeux d'un bleu foncé venu tout droit des cieux constellés d'archanges un jour de tempête! Le reste du corps quasiment absent par la force. Mais quelle importance puisqu'il avait des admiratrices cet ange. Dont A.M. Dont lui-même, aussi admirateur, changeant sans changer d'enveloppe — d'âme et de coeur — et s'admirant dans la glace. Il était profondément (!) fier. (Profondément?).

Un corps par mètre carré de surface
utile soit deux cents corps chiffre
rond.

Samuel Beckett

Écrivait A,B. aujourd'hui: «Alors quels plaisirs m'a fait la réalité en saignant joliment. Quel dommage! Ce fut si court. Ses hanches convulsives, ses seins gonflés pleins de peur. Ses images projetées dans les livres empoussiérés, dérangés du repos sur les longues étagères». *L'étrange, le saugrenu, le méconnaissable: des éléments sur ajoutés à l'essence poétique surréelle: des exigences de l'esprit érotique.* «Le corps tailladé, en d'autres circonstances et domaines, laisse aussi de brefs éclairs. Belle désintégration appelée «sentiment du beau».»

A.B. est-il surréaliste? Oui. Cela lui est apparu comme un état d'âme irrationnel, impulsif. Il a trouvé dans la surréalité la possibilité de stagner. De demeurer lui-même, infiniment lié à un lyrisme mythique. Mais l'influence de la vie toute entière? Minimale. Le tout entier étant A.B., le poétique étouffant et le reste. De lui-même se servir; de lui-même préfigurer le réalisme massacrant. Un dénudement entré dans la nuit comme une perte de sens.

Comme une lumière prise vive entre les dents.
Puisqu'il s'était promis de vivre absolument.
Menacé par la mort elle-même? Écouter tous les
cheveux qui se gonflent et l'élégance des gestes.
Les yeux rieurs et amoureux. Ne rien oublier
puisque le temps presse. Dire : oppresse. Puisqu'il
sent le meurtre lui revenir dans les mains, lui faire
bouger le visage : l'exciter.

Il était une fois... glorieuse fois. Des mains longues, nerveuses, qui maniaient bien les lames. Une fois autre, une étreinte continuelle où entrait l'étendue d'écrire sur l'eau. Née du hasard et de l'ensablement. Il était une fois l'air terrible tombé en panne. Le soleil (aussi) : une idée indéfiniment ravageuse. Écrire contre le mouvement proliférant, en pure perte du sens commun. Les circonstances défaites, inénarrables. Même avoir lieu n'ayant plus lieu.

Écrire chaque parcelle quand s'écrit l'expression
de la mort. Breton mort. Un arraché poursuivant,
finissant, fissurant. Peut-être faussement révéla-
teur et largement parasitaire. Sortir du langage
réel : sortir du langage : pour se cacher de la
réalité. Chercher (si le temps ne presse pas) un
schéma fondamental. Oh ! Fissure. Affirmation :
par définition l'écrivain est fissurant. Affirmation : *c'est ainsi que le meurtre, au sens le plus*
fantaisiste du mot est, en toutes matières, un
critère suffisant. Il justifie les tentatives dérisoires.
Il est la preuve de l'amour.

Toujours en lui l'ennemi du propre. Femme lui ayant appartenu un instant. Rédigeur de notices à la lame argentée. Insensible au conducteur-vie. Dévoilement de la doublure pourtant biographiquement cachée. Le ciel clair. *Le clair de terre.* L'ivresse ne se dédouble pas assez. Comme automatique. Ne fonctionne que rarement, surtout les jours de pluie. *Le message automatique enrayé.* Femme tranchée au cours de la rédaction. Oh! Commission.

Ce qui amène la mort sans la nommer. Amène une chute rouge, bouillonnante, qui teint ce qu'elle mouille dans sa course. Aussi bien le manuscrit que la langue parlée, que le siège de la voiture, que l'amour fait sans conduite sûre. Glissant sur les démarches, il surveille même l'acteur qui dort et qui peut la donner. Recouverte — la mort — de cadeaux expiatoires, il l'attend.

(Notes thérapeutiques). *Une autre fois, je me torturais, tenant à la main une très belle lame rose que je destinais à une de ces dames de bazar, mais les assurant que j'attendais tout d'elles, j'eus toutes les peines à en trouver une qui voulût bien se laisser saigner.* Plus tard, les yeux fermés, la tête énervante, la main gauche tenant les cheveux lui est revenue en mémoire. La droite, elle, en haute magie, évaluant encore l'intérêt des titres sur le crime, frottait sans relâche la queue, jusqu'à la sonnette d'alarme.

(Notes thérapeutiques). *En apportant à ma collection de lames, pour les ficher, le dos blanc d'un morceau de pin ou une poitrine rose... Qu'elles tranchent, coupent autant qu'il me plaira. Et si je meurs, je ne me souviendrai pas.* Du brillant, de l'argenté ou des tableaux et autres hétéroclites pièces de chair. Dents de crocodiles. Cigarettes en paquets venant de Roumanie.

L'amour est la seule forme qui reçoit tout, qui peut tout recevoir : le désir, les larmes, la joie, et le doute et même le non-amour.

Bernard Noël

Quelle idée puis-je avoir à ce sujet? *La surréalité absolue ne permet de considérer que des faits relevant étroitement de l'expérience et l'expérience s'appuie sur l'utilité immédiate gardée par le bon sens. L'amour fou aux Bois-de-Saint-Jean (qu'est-ce que cela?): la chasteté bien gardée... Honorer l'amour quand il témoigne de la pierre fluorescente de l'inconscient sexuel. Et puis, et puis.*

Refuser systématiquement le monde
extérieur, c'est se refuser à soi-même:
c'est une manière de suicide.

Bazaine

Traits d'extrêmes détentes si éloignés. Atteindre le fond de la vie ayant senti auparavant s'en fracasser la forme coutumière. Le poétique original : pierres se contractant : sensibilité essentielle : élémentaire obscurscissement. Remous subit (subi). Une parole jamais convaincante devant être supportée par des gestes. Tout attendre de cette joie qui ressemble à une plainte, de ces pensées qui ne s'éclaircissent que par bribes. Attendre la vie pour que A.B. s'occupe.

L'horreur vient de la nuit, de chaque phrase. Ne se cache pas dans le sexe, ni dans la lumière. Pendant la journée aussi : dans la mémoire saoule. Pour l'étudier. L'horrible horreur qui ne déménage jamais sera plus que présente. Sera persistante.

Regardé par le guichet, par le silence. Reclu
médicalement en extase — d'écriture — bien que
ne soit possible le soulagement que. Allez, encore.
Dites-lui tout. Rien de tout cela ne sera retenu
contre lui. N'a pas été retenu. Il a joui une
fois déjà.

Beau juge liquide à l'intéressante idée de maladie. A.B. joyeux comme tout. Comme mort. Pourra relever (se relever de) toutes contradictions sans s'y être jeté à corps perdu. Mais pourra-t-il de toutes les justifications assumer les détours? Bon! Vous allez vous soigner en écrivant... une belle mort. Appelé à la barre, le docteur J.M. a déclaré qu'il était nerveux. L'acte lu par le greffier, A.B. croyait avoir commis... Une enquête préliminaire.

Décrire ma rencontre avec le soleil.
Yukio Mishima

Comment allez-vous ?/ Très bien, merci, pas vous?/ Pas de question. Répondez./ On dit (qu') *ils se pâmaient l'un contre l'autre** / Ah oui! Ah oui!/ Et puis...?/ Ça bougeait fort... comme à peine percé des dents... ne voulais pas me laisser distraire... une heure au cours de laquelle une perforation du coeur a entraîné l'hémorragie./ Puis, le vide total? Le plus total? «C'est venu tout seul» a-t-il balbutié. Je suis coupable de pâmoison rouge, d'habitude arrivante, de surréalité, de tout et de rien, de chaleur intermittente, de la recherche d'une chambre, d'intention béate.../ Ah! vous avez fait une rencontre?/ (...)/ (immédiatement les réponses, d'incohérentes devinrent inaudibles).

---

* Rimbaud.

49

Ce qui est de l'ordre du désir trouve sa moralité et se confond avec la volonté générale. Thérapie distrayante. Assumer un ordre de valeur différent par la démarche. Trouver un complice : un libérateur et un justificateur. Un fil de tension, une trace. Écriture automatique : désintégration mentale et zones englouties.

> *En elle je voyais mon enchanteresse*
> *et la contemplais. Je la voyais com-*
> *me si elle avait été baignée d'une eau*
> *lustrale...*
>
> Henri Michaux

Mouvements de caméra exécutés le 31 janvier 1968. (Coupure de presse). Rétrospectivement, rien ne se passe. Nu et rose au bord d'un étang. Plan américain. Le ventre et la poitrine marqués par les ongles. De douleur? Peut-être pas. Les savants regardeurs croient plutôt à... au péché originel! En rêve, gros plan. Le visage cependant en extase. Non, en jouissance. Coupé très gros plan sur une main longue, noueuse. Le contour rougi des ongles. Très gros plan autre: yeux brillants, illuminés.

Voir la ville. Les yeux curieux, les mains. La noiceur descendante du regard. Le sang en gouttes tachant ce qui passe dans les yeux : l'admiration. Ce qui est provoqué : le dégoût. Non, la vie. Être enfin. Au milieu d'une nouvelle hiérarchie. Mythifier. *Conception du meurtre comme objectivation sur le plan matériel d'un dynamisme de la même sauvagerie que celui qui a présidé à la création du monde.*

Espèce de vice de fonctionnement quand cela bouge. À la fin de l'arme, une main désespérée se débat; le sang, sous la pression des mains, ne vient pas comme il lui arrive. Le débattu que seul l'épuisement arrête. Dix-sept fois contre soi-même, arrêter les gestes. Se débattre, convulsivement, sans y croire. Visage d'une beauté extrême. Frayeur extrême. Le soleil luisant déjà sur une nouvelle journée. Le soleil? Qu'est-ce que c'est que cela, le soleil? Une sorte, une espèce de vice de fonctionnement qui laisse couler mélange pluie-beau-temps, une giclée de sang et de sperme, en toute perspective, dans le pantalon. — Oui!

Comme des souvenirs. Ou reflets.
C'est tout. Elle respire. S'étonne.

E. Hocquard

Le fermier plein de douleur assomme un veau avant de le saigner. Y penser le moins possible, mais cela dure. Dure aussi longtemps que dure la tête. (Extrait d'un entretien thérapeutique): «Quand je relevais mon bras pour frapper de nouveau, j'avais des cheveux pris dans les doigts. Je ne pouvais pas arrêter... J'étais pris. Je ne pouvais pas me sauver. Je frappais de nouveau, pour avoir le temps. Des cheveux se cassaient mais d'autres s'enroulaient à mon poignet comme des bras multiples. Et je voyais des yeux qui ne comprenaient pas et la protection dérisoire des mains.»

La marche déambulante devant les vitrines rougies. Par la lumière. Par de la montagne (la rue). Pas encore par le liquide. État de mal de ventre quand tout ne va pas très bien. État de déambulement comme un premier jour de menstruation et que, pas (de) trop, l'on ne sait ce qui ne va pas encore. Regarder, lorgner les espaces de restauration, d'incitation. Et le goût de briser (crac), d'être brisé sans que cela ne paraisse extérieurement, se relevant, déambulant encore, venant dont on ne sait où. Par l'autobus numéro 97.

Inflammation du cerveau au niveau des plis. La perte d'esprit pour gagner la terre blanche, pour une liberté provocante s'accordant gratuitement de *l'éperdu*, de *l'inéprouvé*, du maniéré, jaillissant comme des peintures naïves, scabieuses, saignées superficiellement. Un *passage du désir*. Si A.B. pouvait perdre la tête. S'il pouvait laisser ses énergies souterraines à la porte de la révolution paranoïaque.

La dépression existe à l'état sauvage. Même encore libre de croire à sa liberté, A.B. ne veut pas vivre dangereusement. Ne veut pas autrement que. La dictée faillissante du rêve et jaillissante. S'insurge contre sa chute primordiale mais oublie la surréelle défaillance. Écartèlement provoqué par le style. *Comment peut-on oublier que l'homme est animé par l'amour ?* Récupération. Comment la dépression peut-elle devenir académique ? Zone d'inspiration propre à la conduite de la magie noire ou bleue : la dépression comme exercice de bonne volonté ; la mort, une exploration conquérante ; le sexe et son usage démontrant la toute-puissance du nom de Dieu.

Tentation comme cela d'écrire. Histoire folle pour faire des points. Utiliser la signification et la présence. Faire des mots et des phrases : faire des absences. Outillage modifié pour l'amélioration du produit fini. Créer la provocation. Et, descendant de l'arbre, la valeur politique. Les résultats : l'influence mesurable de l'écrivain, la qualité des implications, la marche folle de l'évolution : génie et merde font des oeuvres en silence. Donc : le silence. Sans un mot, sans un cri, sans un geste de défense et sans raison immédiate. Pointer, mais quoi ? *Que penserait A.B. de faire l'amour dans une église ?* Ah ! Merveilleux, lyrique et tout. La véritable route de la révolte !

Le désordre «amoureux» comme d'autres qui sont volontaires, comme le désordre partout sauf. Collection de lames et d'autres objets rangés parfaitement sans un poil plus à gauche, plus au centre. Maniaquement rassurant, maniaquement rassurant! Comme d'ailleurs collection particulière d'images criminelles représentant le bizarre: «La Leçon de chirurgie», «A.B. nu descendant l'escalier», «Georgenica». Toutes images alignées autour du pupitre d'où il écrit des lettres d'affaires (pas encore A.B. le surréel). Pas encore démarcheur des images mentales, des hallucinations. Ce qui importe tout au plus, les seins de Zavis Kalandra.

Mentalité en plus, un négrier. Possesseur, entre les autres, d'une lame en acier supérieur supportée par un manche d'ivoire rose. Incrusté sans doute? *Incrusté de rêves qui servent à élucider les moments fondamentaux de la vie.* Une autre lame, une autre fois: intérêt grandissant. Ordonnance des pièces dans une armoire vitrée. D'autres objets insolites mais des rasoirs surtout. Au réveil en tous cas: une vision: *je n'ai plus qu'un bras transparent tenant le fer sur lequel les colombes se jettent et viennent se saigner.* Et encore: une lame au manche d'ébène, semblable au canif tout noir, toujours prête à user de violence.

C'est l'attente qui est magnifique. Ce qui n'arrive pas chez A.B. toujours alerté, à bout de ressources, enlisé dans la vie quotidienne : la collection de lames, le déambulement incertain, la fierté qui, sans reconnaissance, perd jusqu'à l'avance prise sur la pensée. A.B., confiné à réaliser des inventaires. Allant même jusqu'à rêver de devenir héros d'un fait divers, n'ayant même plus d'autres espoirs. Allant même jusqu'à prêter la grande part de sa vie à des objets usuels ou au clignement des yeux, les moindres. Allant même jusqu'à exister plutôt que de vivre tel un *hasard objectif,* exister comme ont existé les vieux murs que da Vinci conseillait à ses élèves de regarder longuement. Allant même jusqu'à souhaiter exister, tourbillon d'air qui fuit, mais songeant bien à vivre un jour. Si enfin pouvait intervenir une fissure qui dérouterait l'attente, qui dérouterait les lueurs possibles, qui dérouterait A.B. lui-même avant même qu'il ne devienne héros d'une bande dessinée ou d'un fait divers.

*L'écrivain surréaliste le plus simple descend dans
la rue l'arme au poing et, au hasard, éventre tant
qu'il peut,* essuyant l'une après l'autre les envies
qu'il a toujours eues. Utiliser le système en le
crétinisant, lame à la hauteur de la ceinture, n'est
nullement incompatible avec la lueur surréelle au
fond de chaque acte légitime. Cet humour objectif
est la source même de la signification. La source
même du génie dont A.B. a décidé, un jour, d'être
le concessionnaire.

Mais chaque soirée, solitaire et silencieux, pris de cet inquiétant sentiment de peur, étrange et panique, attendant *un appel venu du jardin...* attendant la sonnerie du quincaillier.

Être plus insignifiant, si possible, éliminerait les envies. N'étant rien, et tout pouvant être, montrer le Bien et bien le combattre pour y échapper. Le monstre, hélas, toujours actuel, laisse naître: les révoltes, les revendications! N'être rien: plus et trop difficile. Trop de sollicitations. Alors écrivain...?

Deuxième partie

Une rumeur. Quelquefois un rire émergeant. Des gens et d'autres. Parmi les mots, des vertiges. Parmi les hommes, des femmes : des *êtres*, des gouffres. Parmi les déserts, lesquels ? Nous (qui, nous?) n'en savons rien ! Parmi les énervements, les isolements, les bâillements, les directions, les fritures, les agonies, les implacables amours... La main *brutale* ou le pied sur le sol prêts à courir les kilomètres nécessaires pendant que coulent les camions dans la fumée.

Une *être* là. Existante. Et puis après, dira-t-on?
Un autre regardant deviendra vivant. Par coïnci-
dences partout. Par circonstances partant. Par
malheur? Une autre version, derrière une paire de
lunettes, un lundi, l'avant-midi. Lecture automatique la veille. Écouter la radio: tout ce qu'on y
raconte; le si peu y étant raconté. Les images
s'embrouillent.

Regarde et garde l'air autre ou ailleurs mais c'est faux! Essaie dans ce récit d'être neutre. Mais comment? Ne pas dire non plus comment la connaissance lui est venue. Mais comment ne pas le lui dire? Jeu de dominos; jeux qui n'y sont pour rien! Guerre à gauche ou à droite n'y sont pas plus pour quelque chose! Affiche dénonçante et affiche annonçante aussi! Et les lectures n'y ont pas affaire.

Un jour, aller debout linéairement voir les danseurs ou les mimes ou qui sait? En masse dans le noir, regarder les réflecteurs s'animer. Pressés par l'alentour, se presser à demi l'un l'autre par incident. La pénombre ne laissant pas croire; quelques regards échangés ne laissant pas croire non plus... Le claquement des mains à la fin du spectacle. Un travelling éloigné qui ne concerne personne.

Et pourtant, à peu d'instants près, au-delà, les corps joints dans un couloir se touchant. Non pas de face, curieusement, et dans le noir. Attirés par les mains ou par les odeurs... Une présence à l'épaule tout d'abord pour éviter de choquer. Et puis décider de faire un voyage. Même non-repérée, la chevelure traversée interroge.

Comme une gravure ancienne : autrefois déborder dans un train. Mais avant, le prendre. La bouche insupportable, fermée. Parler, embrasser, manger, sucer, jouer. Mais à quoi donc servent les mains ? Déborder. Autrefois sourire. Boire au même verre le même vin dégueulasse vendu à bord des wagons de la Canadian National Railways. Un jour d'hiver le trouver bon par amour du texte et, malgré tout, apaisant pour le réseau des langues.

Chambre rue Saint-Louis si c'était inévitable.
Toutefois et jusque-là, cependant, alors que rien
ne se passait encore — faut-il dire que jamais rien
n'est pas toujours d'actualité — ce jour-là fut une
journée d'amour... inévitable ! Enfin la neige dans
la ville a servi de jeu et le bruit endormi chassa
l'oreille plus loin, gardant la vie de la mort.

Plein de pauvreté n'empêche pas le sommeil, ni le silence d'avance changeant. Plein d'audaces saisissantes d'avance. L'état d'urgence dont l'approche est devinée d'avance. Son manteau, l'autre, roulés dans la neige : se geler avant le retour par le même *CNR train* mais cette fois, dormir.

Blonde mais surtout les lèvres gonflées de sens —
cela déjà dès la mise au monde — le reste disparais-
sant. Voilà le souvenir principal. Le reste, l'effi-
cacité de la culture, épuise. L'usage de la bouée
épuise. Demeurer à la maison, regarder les images
passer sur le silence. Regarder les plis se marquer
dans le visage.

Quelques gouttes rouges un jour. Les corps roulant, lavant leurs chairs. Auparavant, voir féminin : voir le développement gratuit des taches. Voir chambre : où l'amour mit tout espace en valeur. Voir tapis : où l'effondrement complice une fois. Voir masculin : pour la courbure recueillie du dos.

À d'autres moments, plus distinctement, songer à l'inavouable idée : à la peur, non pas ! (À cet âge là !). Ni à la saisie qui traverse la lecture mais à ce qui, au creux des joues, est lentement travaillé par plaisir. L'idée isolée ne craint aucune agonie. Une lampe flottante trouve et s'apaise.

Une rose jaune toujours gardée d'ailleurs (le vingt-huit décembre perçant la neige). Dans une enveloppe, pressée entre les pages d'un volume, gardée presque aussi colorée qu'au jour du don. Une harmonie propre, prompte qui se mesure dans la paume.

D'abord l'improbable disjonction malgré le ven-
dredi 13 après Noël : histoire heureuse, journée
courte : des excitations, du blanc pur, des jeux de
semences. Sans armure, des titres installés, substi-
tués à l'imaginaire, la fenêtre donnant sur l'intense recueillement. Décliner des baisers, réagir par
la racine.

La conscience : le mot bonheur l'après-midi. Quel mot ? Un départ muet (se butte mais s'enfuit) épuise les parois. Là-bas, l'avenir drapé dont la trace éclate. Ravissement à prononcer. Excès d'extases : ce que l'on hésite à dire aussitôt, même acquises la part de lucidité et la part d'expérience. Mais pleinement avant de s'enfuir...

Puis la fièvre à perte de vue : un mois plein d'attouchements. Une conversation d'organes, des textes futurs — traits d'organes en un seul paragraphe. Quotidiennement la vie, pas comme plus tard, un désir vertical de mots, de jongleries. Plein d'attachement.

Retenir la chair sans cesse. Entre les rayons de livres — voir d'abord, ensuite, bientôt la mort et la suite recouvrir le plancher. Entre les rayons de livres aujourd'hui autrement : procéder impérativement aux gestes d'émotions. Oublier même, avec M. (et M.-F.), l'heure d'un dîner. Arriver en retard, en souriant, tout au fond de la joie.

C'est alors au réveil que le crâne fait
mal, qu'on a des goûts.
Hugues Corriveau

Inventer d'autres récits : prendre des mots, en faire des corps. Convoiter des faits : les arriver. Imaginer des prises, des livraisons mutuelles, de graves beautés. Oublier toute économie, même là. Lire toutes les affiches : les inventer.

Ils n'osent pas encore le dire. Des aveux bibliques : tendresse sûrement chaude et fébrile ; des odeurs sexuées dans leurs mains. Et cela craque de partout : agitations, basculades, rires doux pleins d'étreintes. Ils transmettent des doigts, si près pourtant des inquiétudes.

Ils ne se saisissent rien, ils ne se touchent que...
s'éprouvent la peau. Touche-partout, ils s'effleu-
rent, se suscitent à mains pleines, à pleines mains,
se mouillent de multiples gouttes. S'explorent.
Vibrent languissamment des manipulations. Cela
leur plaît quand ils se touchent, se palpent. Rien
n'est intouchable. Rien n'est jamais assez attendri.

Les aisselles mouillées (et ailleurs, attendant qu'elles sèchent avant de les lécher). Petite sueur chatouille et coule. L'excitation touchée (ou bien est-ce la brise venue d'une fenêtre ouverte?). Oui! Les rideaux volent et l'air touche sous les seins, entre les fesses.

Mais changeant, ils changent les partages et les mémoires: quelquefois passionnés, plus grands que les corps. Garder la main et l'épaule au moins, même déchirées. Et si inconsidérée soit-elle, la soif, qu'elle ne se perde pas comme se perd la parole non soutenue par des gestes. Sans avertir le brisement survient:

Un livre en lecture la veille; une robe en couture. Un sommeil dernier la veille. Une idée inexistante la veille. Un glacement des os inimaginable: un souffle exprimé, blanchi par le froid, ininsufflé la veille.

Réveil difficile comme d'habitude et semblant de nourriture. Des degrés Fahrenheit aussi difficiles. Un climat de janvier. La fermeté des seins qui n'a pas été retenue (parce qu'il ne vécut pas assez fort?). Des battements de coeur, des vêtements portés, le tout mêlé et des projets lesquels? Que la radio annonce: «(...

La radio annonce : «(...)», comme elle annonce Coca-Cola, l'Amicale des Frères maristes, l'effondrement du pont de bois permettant de franchir le ruisseau dit des Deux-Chênes, à Côteau Station, province de Québec, événement survenu le 31 janvier 1968 : «C'était vers 10h15, le ponceau craqua alors de toutes parts, les glaces forçant ses entrailles, poussant les solives et les branches des arbres attachées aux poutres. Puis, dans un fracas terrible, presque d'un seul coup, la structure arrachée fut emportée par le courant très vif à cette époque de l'année.» Comment des larmes peuvent-elles alors surgir ?

Peuvent-elles surgir ici? La construction trépidante d'une scène guerrière éloignée — toujours si éloignée — devient banale. La construction d'un gros plan sur l'actualité où le sang gicle en noir et blanc avant que la mort ne sèche dans les mains. Images informelles apprises dans les pages des journaux. Banalités!

Endormi, en retard comme d'habitude, écoutant la radio. Se raser: «On vient d'apprendre à l'instant...» (Des rues à parcourir en voiture. Une vitesse inconnue.) «Il y a quelques minutes à peine...» (Des heures passées. La qualité de l'alcool.) «Dont l'identité n'a pas été révélée...» (Les déplacements de l'air. L'heure du réveil. Le café ou non.) «Au 5614 rue de la Montagne...» (La marque du rasoir? La couleur du taxi?) André Breton est allé se livrer à la police en se rasant. Téléphoner; se couper en se rasant; mêler son sang avec le savon. (Si l'ascenseur fonctionnait? À quel étage?) Le mêler, le sang, à celui de la rue. Le reste disparu...

l'explication du meurtre jusqu'au
soir/ la terre promise/ les habits
dans la disparition répétée des morts
François Charron

Appareil à mesurer le tremblement des mains et l'épouvante serrée des lèvres. Le coeur qui dure, étouffant. Étudier très sérieusement les larmes retenues. Les laisser au feu rouge avec le taxi qui ne va pas assez vite. Courir contre la certitude et se frapper à une porte gardée.

L'ascenseur à quel étage? Le sixième étage est un entrepôt. Les autres étages n'ont pas de mémoire. Au fond: des étagères empoussiérées, d'autres couloirs, des vitres sales bombardées de soleil, des étagères encore portant des verres à l'envers à remplir d'alcool. «Cela va faire du bien!» Irruptera dans l'empire des papilles, écoeuramment.

Et son corps lavé, flottant dans ses vêtements marron, exhalait une faible odeur de cire et de bois de rose et son souffle une faible odeur de cendres mouillées.

James Joyce

Chronologie des yeux fermés et du corps tailladé, du corps vidé et recousu, du corps lavé et parfumé, du corps maquillé et ciré pour avoir l'air vrai. Des cheveux coiffés et du sourire imposé (un sourire presque pris à d'autres journées). Chronologie de l'embaumement.

Pas de désordre, pas de commérage, pas de curio-
sité malsaine bien sûr, pas de contrition de rigueur
dans ces cavernes du recueillement! Tous, coeurs
bien tristes et bien malades, introduits, se pen-
chent sur le visage. Pour voir quoi? Puis, des
regards s'échangent, meurtris. Puis, petit à petit,
la conversation... et même des rires.

*Que lorsque je vous écris personne
n'est mort.*

Marguerite Duras

Vue panoramique de la boîte. Vue panoramique
de l'enterrée dans le petit cimetière de C.S. un jour
glacial, derrière une église, un jour gris, au bout de
ce village inconnu. Éparpillement des idées : idée
fixe dans l'air figé. Quelle idée ? Le temps long de
la route aller et retour, le visage blessé. Reste le
deuxième jour de février comme tant d'autres, un
jour glacé.

Route longue après — dans un café minable, un café justement minable et un sandwich — le cortège défait perdant de sa solennité. Attente de la route achevée : temps si long. Mais pourquoi serait-il court ? Changer d'aube, samedi, le deuxième jour de février de mil neuf cent soixante-huit. Après ils se regardent avec R.L. et d'autres dans un lieu différent, un autre cimetière.

Encore un peu plus tard, être sans voix. Et encore un peu plus tard, lavage des taches et modification des couleurs et du choc. Persistance, cependant, du tragique hypnotisant. On se fait à tout : au travail. Questions. Réponses (vraies, fausses, imbéciles, partielles, menaçantes et autres). Trahisons?

Répondre au goût du sang. Travailler l'assassinat, l'élaborer. Répondre au goût du jour : cela va passer ! Questions sauvages, réponses sauvages. Attention aux clients : faire remonter le chiffre des affaires. Raconter à n'importe quel ennemi la ressemblance de la réalité et de la fiction.

La mémoire revenue : une fièvre montée au front. La peur et le regard désespérés. La détente des muscles revécue au ralenti cinématographique. Ces lignes trouvées quelque part : *être l'amant d'une femme assassinée un jour d'hiver le matin son corps fut trouvé sur sa bouche presque dessiné un sourire... pendant que coulait le sang de son cou ses cheveux las répandus las et tachés.* User la mémoire puisqu'elle est le seul réservoir d'instants

Petit à petit s'apaiser, se déplier la pensée. Pas trop rapidement : cela fait mal. Dépliée, la douleur glisse. Ne pas être dangereusement souple mais ne pas se jeter de la passerelle. Il vente encore : éviter l'affolement.

N'avoir que la version de l'écrivain. Peut-être est-elle trafiquée? N'avoir que la fumée celtique. N'avoir que des étourdissements, des vertiges et des maux de tête. N'avoir que les aveux de l'accusé. Peut-être ne l'est-il pas? Félix Boire l'a pourtant vue baignant dans son sang. Mais c'est la moins sûre des versions.

Sans réponse. Demeurer sans réponse puisque
A.B. parle par voix interposée. En intense conversation silencieuse. Par doigts interposés réglés
ailleurs. Par quotidienneté, comme si c'était la
première fois. Ses souvenirs — quelques-uns sélec-
tionnés tristement — sont rares. N'a-t-il jamais
parlé de beauté? N'a-t-il jamais écrit sur le corps,
sujet ici de tout, même inventé (oreilles, nombril;
seins, sexe; cou, taille; épaules, jambes)?

Jamais la mer, l'humidité luisante du mois d'août aux bords de l'océan lourd, ensemble. Lit de chaleur, lit d'air. Vies de quelques corps huilés. Et bien plus : la blancheur se dégage parfois si fortement comme un champ de fixation inutilisé. Blanc pour se définir, comme agité pour se définir, comme mer.

Pourtant, pour amener la fin, la part de feu. Pour ne pas arrêter la vie quand elle passe; pour ne pas avoir le temps; pour qu'A.B. ait besoin d'autres A.B. pour être ce qu'il fut. Pour avoir besoin d'air.

Journal: «Visiblement atterré, l'air pitoyable, André Breton présenta avec peine son propre témoignage pour finalement échapper cet aveu: «J'ai tué... J'ai tué... J'admets ma culpabilité...» Cet aveu est survenu après une pénible reconstitution des faits ayant entouré le crime, les questions du procureur semblant créer chez le suspect le vide le plus total. Il ne se rappelait plus rien, si ce n'est qu'il avait l'habitude de fréquenter les librairies et de porter un couteau.» Supercherie.

1968-1980

Table des épigraphes

Du même auteur

La Vie passionnée, récit. Montréal, la Barre du jour,
  1970.
Deux, proses. Montréal., éd. d'Orphée, 1971.
L'Image parle, essais (sous la direction de J.Y.C.).
  Montréal, la Barre du jour, 1972.
L'État de débauche, proses, Montréal, éd. de l'Hexa-
  gone, 1974.
Une certaine volonté de patience, proses. Montréal, éd.
  de l'Hexagone, 1977.
Dire quelque chose clairement, proses. Montréal, éd.
  Estérel, 1977.
Une vie prématurée, poèmes. Liège (Belgique), éd.
  Odradek, 1978.
Le Carnet de Liliana, proses. Montréal, éd. Estérel,
  1980.
Et hop!, prose. Montréal, éd. Estérel, 1980.

à paraître

Rimes, proses. Montréal, éd. Minimales, (1980).

en préparation

Texte, prose. Montréal, éd. de la Maison, (1981).
Poèmes 1, Montréal, éd. le Biocreux, (1981).

Composé en Baskerville de corps 11
à l'Atelier le biocreux
cet ouvrage a été achevé d'imprimer
en novembre 1980
sur les presses de
Payette et Simms inc.
à Saint-Lambert, Québec.